cette nuit là, nous nous connûmes charnellement dans une union divine d'une profonde et émouvante tendresse. Au matin elle me quitta. JE NE DEVAIS PLUS LA REVOIR...

TU SAIS QUOI? LA BELLE LÉNA A ÉTÉ EMPOISONNÉE CE MATIN PAR SES MAÎTRES...

NON?

SI, UNE BOULETTE DANS SA PÂTÉE. ILS VOULAIENT PAS D'ELLE POUR LES VACANCES...

OH, PUTAIN...

ELLE A JUSTE DIT: "MON AMOUR"... ET PUIS, CLAC, ELLE EST MORTE...

OH, SAINTE VIERGE...

pendant des jours j'errai dans les rues, sans but, comme un fou...

à bout de force, je finis par regagner la maison.

DRING

TU PEUX ALLER OUVRIR, PAPA, J'AI LES MAINS DANS LA VAISSELLE!

OUÉ!

NOUS NOUS EXCUSONS DE CET ARRÊT MOMENTANÉ DE NOTRE INTERLUDE

17

18

19

KADOR 2

SCÉNARIO+DESSINS: BINET

DIS DONC, RAYMONDE, SI ON ME DEMANDE TU DIS QUE JE SUIS PAS LA, HEIN!

J'VAIS AU P'TIT COIN!

WC

21

22

23

25

27

BON, JE CONTINUE! DONC, JE VOIS UN BEC DE GAZ...

HOP, INSTINCTIVEMENT, JE LÈVE LA PATTE (COMME CECI) ET JE FAIS MON BESOIN... PSI, PSI, PSI...

SUR LE TAPIS PERSAN EN PUR ACRYLIC DE LA SALLE À MANGER, BEN C'EST MAMAN QUI VA EN FAIRE UNE TÊTE!

BON, ÇA C'ÉTAIT POUR LA PETITE! MAINTENANT, REGARDE MOI BIEN, JE TE FAIS LA GROSSE!

29

30

31

35

36

38

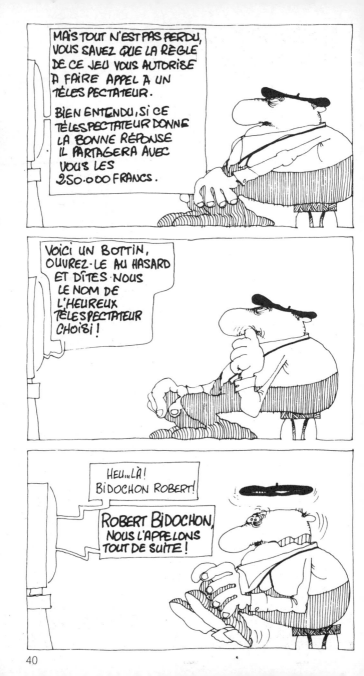

40

41

44

45

47

48

49

51

52

53

54

55

58

61

63

64

69

70

77

78

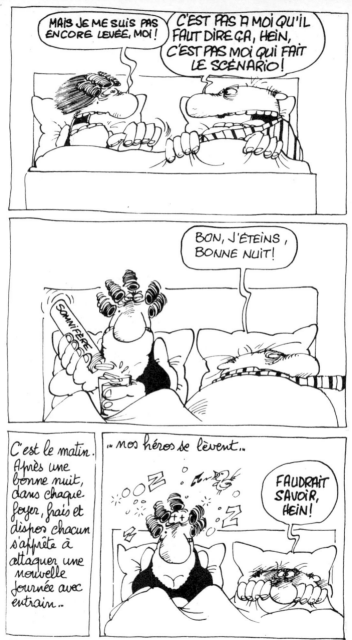

83

86

il y a des jours, comme ça où plus rien ne va et ou même vos propres personnages vous échappent ... angoisse de l'artiste. Mais à l'heure ou nous mettons sous presse, les négociations sont en bonne voie et il est vraisemblable que d'ici la prochaine histoire, grâce à l'effort de compréhension mutuelle et les concessions de chacun, un accord interviendra sans doute entre ...

TSSS, MA PAUVRE RAYMONDE, VOIS-TU, LE LOTO, C'EST UN PEU DE JUSTICE SUR NOTRE TERRE, L'ÉGALITÉ POUR TOUS...

QUE TU SOIS JEUNE OU VIEUX, BEAU OU LAID, INTELLIGENT OU SOT, RICHE OU PAUVRE, DEVANT LE LOTO, NOUS SOMMES TOUS ÉGAUX!

POUR LUI, AUCUN PARTI PRIS. C'EST LE CONTE DE FÉE MODERNE CHAQUE FOIS RECOMMENCÉ, LE RÊVE HEBDOMADAIRE, COMME UN MESSIE ENVOYÉ SUR TERRE POUR NOUS SAUVER DE LA MISÈRE...

O, LOTO, QUI DANS LE CŒUR DE VOS FILS DAIGNEZ NOUS OUVRIR AVEC TANT DE BONTÉ VOTRE TRÉSOR INFINI, ACCORDEZ NOUS DE NOUS OFFRIR EN MÊME TEMPS QUE LE PIEUX HOMMAGE DE NOTRE FERVEUR, LE TRIBUT D'UNE DIGNE RÉMUNÉRATION, AU NOM DU VRAI LOTO QUI VIT ET RÈGNE EN L'UNITÉ DU SAINT ESPRIT POUR LES SIÈCLES DES SIÈCLES. AMEN.

(ORAISON DU 2° DIMANCHE APRÈS LA PENTECÔTE)

92

95

104

PARCE QUE : D'UNE PART C'EST MOI QUI CRÉE L'ŒUVRE, D'AUTRE PART, TOUTE L'ORIGINALITÉ RÉSIDE DANS LE CÔTÉ FÉMININ DES PERSONNAGES, ET D'AUTRE PART, QUI MANIPULERA L'INCROYABLE COMPLEXITÉ DES RÉGLAGES DE CETTE MACHINERIE COMPLIQUÉE ?

PEUH !

TU PARLES ! UNE BOÎTE KODAC 1937 AVEC OBJECTIF TOUTE DISTANCE ET DEUX DIAPHRAGMES : NUAGEUX ET SOLEIL !

TIENS, PAR EXEMPLE, RIEN QUE POUR VOIR, LÀ, DIS MOI UN PEU QUEL DIAGRAMME TU METTRAIS LÀ ? ALLEZ, RÉPONDS SANS RÉFLÉCHIR !

SOLEIL ?

WOUR, JE M'EN DOUTAIS ! WOUHAHAHA. OÙ TU LE VOIS LE SOLEIL DANS LA SALLE À MANGER À DIX HEURES DU SOIR ?

BEN, ET LE LAMPADAIRE !

NON, TU VOIS, C'EST PAS SÉRIEUX, TU SAIS PAS ! ON MET SUR NUAGE ET ON PREND AU FLASH, VOILÀ !

TU VEUX JOUER AU PLUS FINE AVEC MOI, MAIS TU SAIS PAS !

ALLEZ, EN PLACE !

107

113

114

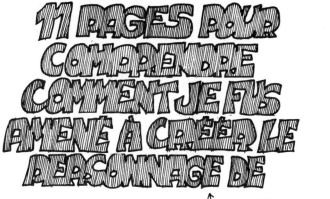

11 PAGES POUR COMPRENDRE COMMENT JE FUS AMENÉ À CRÉER LE PERSONNAGE DE

nota : il n'y aura pas de page pour comprendre comment je fus amené à écrire un titre aussi incompréhensible.

KADOR

OU : " MAIS OÙ VA-T-IL CHERCHER TOUT ÇA..."

je voulais écrire une histoire avec un petit animal, mais le chemin est long de l'idée à l'élaboration, du déclic cervical à la mise en forme d'une histoire qui a eu le succès que chacun sait et que tout le monde apprécie et connaît... pardon? comment ça de quoi se parle? Mais de Kador, merde, ça fait dix minutes que j'en parle !!!

au départ, du jamais fait: une sacrée vain dieu de bordel de chouette idée: LES AVENTURES D'UN MICROBE. quoi de plus petit, en effet, qu'un microbe...

là

ainsi naquirent les aventures de "CROCROBE LE MICROBE MICROSCOPIQUE" (rappelons pour l'anecdote la réelle amitié) (qui unissait CROCROBE à ROBERT.

IL NE ME LÂCHE PLUS DOCTEUR!

TROIS PIQÛRES DE PÉNICILLINE MATIN ET SOIR...

CROCROBE qui souffrait d'inaccoutumance à la pénicilline du bientôt nous quitter. Je le remplaçai alors par une araignée.

ce furent : LES AVENTURES DE GNEGNÉE L'ARAIGNÉE À RAINURE"

(malheureusement, Raymonde qui n'avait pas été prévenue du changement dans la distribution, mit fin à ce personnage dès le premier épisode.)

AH, LA VACHE, HÉ SALOPERIE!

SPLATCH

Puis "LES AVENTURES DE MOUMOU LA MOUCHE MOUCHETÉE"...

WOUARAAAAAAAA

"...un peu myope peut-être...

Puis "MAMI LA LIMACE MALICIEUSE" (dont la belle couleur marron se confondait avec les lattes du parquet.)

JE SAIS PAS, J'AI GLISSÉ SUR QUELQUE CHOSE...

et enfin "COCO, L'ASTICOT ASTICOTEUR" (qui connue également une) fin dramatique.

le sort s'acharnait
sur moi, j'étais
prêt à abandonner,
mais la providence,
une fois encore, vint
à moi en entrant
un beau matin dans
mon bureau...

ET SI QUELQU'UN
ME MARCHE DESSUS, M'AVALE
EN BAILLANT OU ME MANGE AVEC
SA FEUILLE DE SALADE, C'EST
RAYMONDE LE
NUMÉRO DEUX
QUI FERA LA
VEDETTE !

On commença donc le tournage.

Tournage difficile dans des conditions matérielles
déplorables. Peu de matériel, un studio à tous les
vents et un Robert ridicule dans son costume de Chien...

WOUA
WOUA
WOUA

Humour

Imprimé par Brodard et Taupin à La Flèche
le 5 juin 1987- 6141-5
Dépôt légal juillet 1987. ISBN 2-277-33027-2
Imprimé en France

J'ai lu BD/Éditions J'ai lu
27, rue Cassette 75006 Paris
Diffusion France et étranger : Flammarion